Alexis le trotteur et autres contes du Québec

Texte adapté par François Tardif
Illustrations de Jorge Del Corral

Alexis le trotteur

Le Sasquatch

La légende du Rocher Percé

Le sorcier au visage de pierre

Alexis le trotteur

ALEXIS LAPOINTE est né le 4 juin 1860 à Saint-Étienne-de-la-Malbaie, dans la région de Charlevoix. Il n'est pas devenu un grand inventeur ni un joueur de hockey professionnel, et il n'a pas non plus accompli d'exploits inoubliables. Non, Alexis le Trotteur a réussi son rêve. Il est devenu un homme-cheval.

Depuis sa tendre jeunesse, il préférait courir plutôt
que de marcher ! Adulte, il travailla comme homme
à tout faire. Il gagna ainsi sa vie dans les régions
de Charlevoix, du Saguenay et du Lac-Saint-Jean,
principalement dans les moulins à scie, les chantiers
de bûcherons et les fermes. Toujours, il se déplaçait
d'un endroit à l'autre en courant, souvent sur
des distances inimaginables.

Il y avait un métier dans lequel il excellait : fabricant de fours à pain. Il l'exerçait surtout d'une façon bien spéciale : rares étaient en effet ceux qui mélangeaient la glaise et l'eau avec leurs pieds, en dansant et en piétinant dans l'auge.
À sa grande joie, ce métier l'obligea à se déplacer d'un village à un autre. Dans toutes les régions qu'il parcourait, Alexis, en plus d'être homme à tout faire, ne ratait jamais une occasion de devenir amuseur public. Musicien, il faisait chanter son harmonica, sa bombarde ou simplement son peigne.

Au fil des ans, il apprit à hennir, à ruer, à piétiner aussi bien qu'un cheval. Il mâchouillait même de l'avoine ! À vingt-six ans, il se mesurait aux meilleurs chevaux, sautait des clôtures de cèdre, faisait la course avec des trains et défiait même les navires en courant sur la grève.

Alexis le Trotteur atteignit bientôt une forme physique exceptionnelle. Il aurait probablement pu faire bonne figure à l'épreuve du marathon à Athènes, en 1896, à l'occasion des premiers Jeux Olympiques de l'ère moderne. Mais il préférait suivre son plaisir et vivre la vie de cheval dont il avait toujours rêvé. Même s'il ne recherchait pas la notoriété, Alexis acquit une certaine popularité. Petit à petit, on commença à le remarquer, à rire et à s'amuser de ses prouesses. Il vivait le moment présent, semblant cultiver la certitude qu'il existerait toujours des chantiers de bûcherons au sein desquels il pourrait devenir marmiton, ou des fermes et des moulins à scie pour l'embaucher. En exerçant ces tâches simples sous de multiples cieux, Alexis le Trotteur transforma une existence qui aurait pu être banale en une vie étonnante qui a su alimenter l'imaginaire populaire. Il réussit sa vie, car, au fil des ans, il devint ce qu'il avait toujours souhaité devenir : un véritable homme-cheval.

Il mourut le 12 juin 1924, à l'âge de soixante-quatre ans, en coinçant son pied dans une traverse de chemin de fer (heureux, il courait alors devant une locomotive). Le souvenir d'Alexis le Trotteur restera toujours gravé dans nos mémoires comme celui d'un homme qui a mené sa vie à sa façon, en courant aussi vite qu'un cheval !

Le Sasquatch

MARC-ANDRE LANGEVIN, huit ans, a toujours été attiré par les animaux. Sa famille habite un petit village des Appalaches. Leur maison est adossée à une forêt dense de conifères, qui bloque le chemin vers une montagne sauvage où vivent de nombreux animaux. Des ours, des loutres, des cerfs, des coyotes, des castors, des lynx et même des loups rôdent parfois si près que Marc-André rêve de les toucher ou de les apprivoiser. Il les a aperçus si souvent que rien ne l'effraie. Il a la certitude au fond de lui que les animaux l'aiment bien et l'écoutent quand il leur parle.

Pendant l'été, sa cousine Audrey est venue le rejoindre.
Quand Marc-André lui a demandé de l'accompagner dans la forêt,
elle a hésité, car, lui dit-elle, on lui avait parlé d'une bête énorme
qui vivrait dans ces forêts :
« On l'appelle le Sasquatch. Il paraît qu'il est plus gros qu'un gorille
et qu'il laisse des empreintes de la grosseur de pattes d'éléphants.
Il est si féroce qu'il est impossible de l'approcher ! Sinon, il t'enlève
et t'élève comme un des leurs ! »

Marc-André proposa à Audrey de laisser le Sasquatch tranquille
et de venir avec lui : il voulait lui montrer une maman chevreuil
et ses petits. Audrey suivit donc son cousin dans la forêt profonde.
Le petit, en moins de vingt minutes, lui avait fait voir les chevreuils,
un lynx et quatre belettes.

Bientôt, ils sentirent derrière eux une masse énorme et noire. En voyant les traces profondes que cette bête avait laissées, Audrey, paniquée, se sauva. Marc-André l'entendit crier de toutes ses forces :

« Marc-André, sauve-moi. Ils sont quatre et ils sont affreux ! »

Au bout d'une bonne heure de recherches, Marc-André, qui avait tout vu du monde sauvage de la forêt, n'en crut pas ses yeux. Dans une grotte, quatre ou cinq monstres poilus entouraient la petite qui gisait à terre, inconsciente. C'étaient des Sasquatchs. Ils avaient des dents pointues et énormes, ainsi que des griffes qui semblaient pouvoir transpercer le bois. Allaient-ils la dévorer ou la découper en morceaux ?

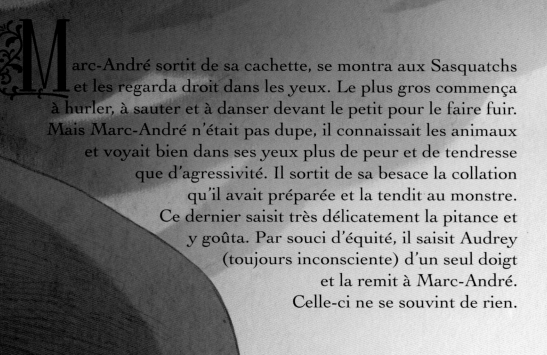

Marc-André sortit de sa cachette, se montra aux Sasquatchs et les regarda droit dans les yeux. Le plus gros commença à hurler, à sauter et à danser devant le petit pour le faire fuir. Mais Marc-André n'était pas dupe, il connaissait les animaux et voyait bien dans ses yeux plus de peur et de tendresse que d'agressivité. Il sortit de sa besace la collation qu'il avait préparée et la tendit au monstre. Ce dernier saisit très délicatement la pitance et y goûta. Par souci d'équité, il saisit Audrey (toujours inconsciente) d'un seul doigt et la remit à Marc-André. Celle-ci ne se souvint de rien.

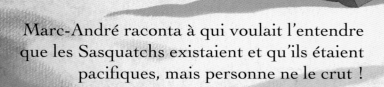

Marc-André raconta à qui voulait l'entendre que les Sasquatchs existaient et qu'ils étaient pacifiques, mais personne ne le crut !

La légende du Rocher Percé

IL Y A PLUSIEURS centaines d'années, le chevalier de Nérac fut appelé soudainement à quitter la France pour offrir ses services au Québec. Ce départ lui brisait le cœur, car il aimait et était aimé d'une jeune fille magnifique : Blanche de Beaumont. Après de déchirants adieux, ils se jurèrent un amour éternel et se promirent de se marier au retour du beau jeune homme. Au bout de quelques temps et ne pouvant plus attendre le retour de son fiancé, Blanche décida de prendre la mer pour le rejoindre. Au plus grand malheur des amoureux, le bateau fut pris d'assaut par des pirates.

L'attaque fut effroyable, et Blanche fut
la seule survivante. Le terrifiant capitaine
du vaisseau lui ordonna de devenir sa femme,
ce qu'elle refusa obstinément :
« Mon cœur n'est pas libre.
Je suis fiancée à Raymond de Nérac,
et je ne me marierai qu'avec lui. »

Elle fut emprisonnée.

Un jour, le capitaine la fit sortir sur le pont
pour lui montrer, au loin, la terre du Québec.
« Bientôt, votre galant amoureux mourra devant vos yeux », lui dit-il.
À ces mots, la douleur de Blanche fut si grande qu'elle sauta par-dessus
bord dans les flots agités. À sa disparition, une terrible tempête se leva
et le vaisseau arriva près de Percé. Dans le ciel apparu un immense
voile blanc porté par Blanche de Beaumont et, à ses côtés, un chevalier
fantôme. C'était le chevalier de Nérac.
Informé que sa fiancée avait été capturée, il était parti pour la délivrer.
Mais son bateau avait coulé à l'instant même où Blanche plongeait dans
la mer. Réunis par le destin, ils firent se déchaîner les vents et les vagues
contre le bateau des pirates. Dans un tourbillon indescriptible, le bateau
se changea en une masse de rochers et les pirates en oiseaux noirs.

Si vous passez par Percé, regardez bien le rocher :
vous constaterez qu'il conserve toujours la forme d'un vaisseau.
Voilà pourquoi il est aussi connu sous le nom de « Vaisseau fantôme ».

Le sorcier au visage de pierre

LA RIVIÈRE SAINT-MAURICE était autrefois séparée en deux par un grand rocher entouré de chutes si bouillonnantes et tourbillonnantes que personne n'osait s'y aventurer. Au village, le sorcier racontait que du haut de ce rocher on pouvait apercevoir un bout d'éternité et même serrer la main à des amis qui vivent dans le monde des morts.

Abequa, la fille du grand chef Algonquin Manale, rêvait depuis toujours de traverser l'eau tumultueuse et de grimper au sommet du magnifique rocher sculpté par l'eau. Abequa tenta trois fois d'atteindre le rocher mais, irrémédiablement, elle faillit se noyer. À chacune de ces occasions, son père réussit à la sauver de la mort. Un jour que le chef était parti à la chasse, un jeune aventurier du nom de Wakiza la sauva à son tour. Wakiza, qui avait le même âge qu'Abequa, était amoureux de la jeune fille. En la ramenant au village, Wakiza annonça à tous qu'un jour il épouserait la belle et qu'il l'amènerait vivre avec lui en haut du rocher tant redouté par tous.

Abequa annonça à son père qu'elle voulait aussi l'épouser.
Fidèle à la tradition, le grand chef Manale plaça son futur gendre
face à un défi où il pourrait prouver sa bravoure aux yeux de tous :
« Wakiza, annonça-t-il devant tout le village, si tu veux l'épouser,
tu dois revenir au village, ton canot rempli de fourrures de qualité.
– Je ferai mieux que ça, grand chef ! Quand j'aurai réussi à chasser
le castor, la loutre et le loup et à tanner leur peau, je grimperai
en haut de ce rocher pour annoncer ma victoire sur les bêtes et
célébrer ma bravoure devant les hommes ! »
Wakiza partit confiant, certain de retrouver sa belle à la fin
de la saison de la chasse. Mais il ne revint jamais.

Abequa attendit durant un an, puis deux, puis dix puis quarante et bientôt soixante ans le retour de son amour.

Fidèle à son rêve, chaque matin et chaque soir, elle s'asseyait sur le bord du Saint-Maurice et contemplait le grandiose rocher où son futur mari avait promis de l'y retrouver. Une nuit, devenue très vieille, Abequa sentit que sa dernière heure était arrivée. Triste de ne pas avoir encore réalisé son rêve, elle n'attendit pas le réveil du village et se glissa à l'eau. Malgré sa faiblesse, elle réussit à rejoindre enfin le superbe rocher. Grimpant avec acharnement jusqu'à son sommet, elle aperçut au loin tous les gens du village qui la regardaient et l'admiraient.

Se rappelant les mots du sorcier, elle regarda vers le ciel où elle put admirer Wakiza qui l'attendait dans l'autre monde, orné de centaines de peaux d'animaux qu'il avait chassés pour elle.